当代中国微记录
GLIMPSES OF CONTEMPORARY CHINA



# 「健身总动员」

# SPORTS IN EACH CORNER

李禄兴 主编
张 超 陈 婉 孙 婕 编著

Chief compiler: Li Luxing
Compilers: Zhang Chao Chen Wan Sun Jie

SinolinguA
华语教学出版社

First Edition 2019

ISBN 978-7-5138-1632-8

Published by Sinolingua Co., Ltd
24 Baiwanzhuang Road, Beijing 100037, China
Tel: (86)10-68320585 68997826
Fax: (86)10-68997826 68326333
http://www.sinolingua.com.cn
E-mail: hyjx@sinolingua.com.cn
Facebook: www.facebook.com/sinolingua
Printed by Beijing Xicheng Printing Co. Ltd

*Printed in the People's Republic of China*

# 编者的话

近年来，中国在国际上的影响力逐渐增强，很多人渴望了解中国，不仅想了解中国的古老文明，更希望了解当下的中国社会和普通中国人的日常生活。另外，随着孔子学院和孔子课堂在世界各地生根，大量学生，特别是中小学生在学习汉语过程中希望通过语言学习更直接地认识这个古老国家的今天是什么样子的。同时，笔者根据在海外多年的教学经历也体会到，如果一个学生对使用该语言的国家一无所知或知之不多，往往会影响他们对这种语言的学习兴趣。

了解中国，从细微处开始，于是有了这套"当代中国微记录"。这套书共10册,每一册着重介绍中国的某一方面，例如：饮食、交通、家庭，等等，针对新HSK水平考试5级以上汉语学习者，尽可能将词汇量限定在2500-3000范围以内，超范围词汇在词后直接加英文注释，以方便学习者阅读和理解。本套书以平民的视角、平实的语言和家长里短的故事性叙述，将当今中国的各个侧面展现在汉语学习者面前，汉语学习者可以边学汉语边达到了解现实中国的目的。为减轻学习者的畏难心理负担，每册书只有大概一万多汉字，并全部配有汉语拼音，附赠的拼音隐形卡可以给不需要拼音辅助的学习者提供帮助。书中有大量图片，便于学习者理解内容，对中国有更直观的认知。这套书可以作为孔子学院或孔子课堂的汉语教材使用，也可以做中国国情课的教材或汉语课外读物。

感知中国，从“当代中国微记录”开始！

编　者

# 目录 | CONTENTS

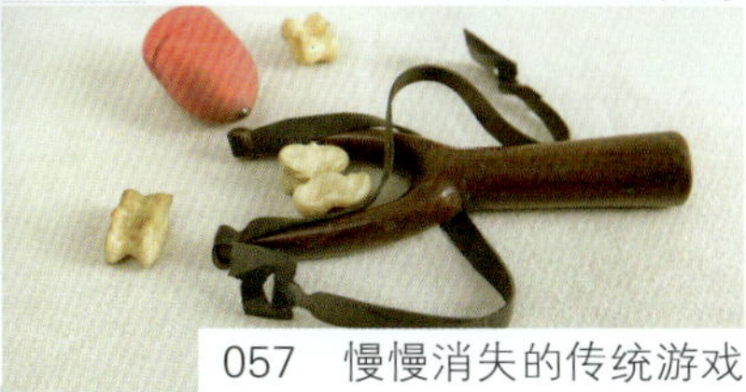

## Zhōngguó Guóqiú
# 中国国球

Zài nián zhīqián, Zhōngguó cānjiāguo sān cì
在 1949 年之前，中国 参加过 三 次

Àoyùnhuì, yí kuài jiǎngpái yě méi nádào. Nàge shíhou,
奥运会，一 块 奖牌 也 没 拿到。那个 时候，

wàiguórén dōu rènwéi Zhōngguórén de tǐzhì hé tǐnéng hěn chà.
外国人 都 认为 中国人 的 体质 和 体能 很 差。

Xīn Zhōngguó chénglì hòu, Máo zhǔxí hàozhāo "fāzhǎn tǐyù
新 中国 成立 后，毛 主席 号召 “发展 体育

yùndòng， zēngqiáng rénmín tǐzhì ”， guójiā kāishǐ zhòngshì tǐyù
运动，增强人民体质”，国家开始重视体育

yùndòng . Pīngpāngqiú yùndòng zài Zhōngguó zuìxiān fāzhǎn
运动。乒乓球运动在中国最先发展

qǐlai . nián， pīngpāngqiú yùndòngyuán Róng Guótuán wèi
起来。1959 年，乒乓球运动员容国团为

Zhōngguó yíngdéle dì-yī gè shìjiè guànjūn， ràng quán shìjiè
中国赢得了第一个世界冠军，让全世界

rénmín dàchī-yìjīng ， ràng zhōngguórén xīngfèn bùyǐ . Zhōngguó
人民大吃一惊，让中国人兴奋不已。中国

de pīngpāngqiú yùndòng cóngcǐ yìzhí chǔyú shìjiè lǐngxiān
的乒乓球运动从此一直处于世界领先

shuǐpíng .
水平。

Pīngpāngqiú yùndòng bǐjiào róngyì pǔjí ， nánnǚlǎoshào dōu
乒乓球运动比较容易普及，男女老少都

néng dǎ， shìnèi shìwài dōu néng dǎ， yǒu qián méi qián dōu
能打，室内室外都能打，有钱没钱都

néng dǎ . Pīngpāngqiú yùndòng yòu shì yí xiàng quán shēn
能打。乒乓球运动又是一项全身

yùndòng， bùjǐn kěyǐ shǐ quánshēn dōu dédào duànliàn， hái
运动，不仅可以使全身都得到锻炼，还

néng ràng dànǎo biàn de línghuó . Xiāngduì yú zúqiú 、lánqiú
能让大脑变得灵活。相对于足球、篮球

děng yùndòng， tā méiyǒu zhíjiē de shēntǐ duìkàng， zìjǐ kě
等运动，它没有直接的身体对抗，自己可

kòngzhì yùndòngliàng， shìyòng rénqún fēicháng guǎngfàn .
控制运动量，适用人群非常广泛。

Zǒngzhī, zhè xiàng yùndòng tèbié shìhé Zhōngguó de guóqíng,
总之，这 项 运动 特别 适合 中国 的 国情，

dédàole Zhōngguórén de pǔbiàn xǐ'ài, yīncǐ pīngpāngqiú zài
得到了 中国人 的 普遍 喜爱，因此 乒乓球 在

Zhōngguó bèi chēngzuò "guóqiú".
中国 被 称作 “国球”。

nián yuè, Zhōngguó Pīngpāngqiúduì cānjiāle zài
1971 年 4 月，中国 乒乓球队 参加了 在

Rìběn jǔxíng de dì jiè Shìjiè Pīngpāngqiú Jǐnbiāosài.
日本 举行 的 第 31 届 世界 乒乓球 锦标赛。

Dāngshí Zhōng-Měi guānxì yǐjīng bú nàme lěngdàn, dàn yǐ
当时 中美 关系 已经 不 那么 冷淡，但 以

shénme zuòwéi gōutōng de jīhuì, lái gǎishàn liǎng guó de
什么 作为 沟通 的 机会，来 改善 两 国 的

guānxì ne? Zhōngguó lǐngdǎorén rènwéi Shì-Pīng-Sài shì hěn hǎo
关系 呢？ 中国 领导人 认为 世乒赛 是 很 好

de jīhuì . yuè rì, Měiguó qiúyuán Kē'ēn
的 机会 (opportunity)。4 月 4 日，美国 球员 科恩

wúyì zhōng zuòshàngle Zhōngguóduì de dàbāchē , Zhōngguó
无意中坐上了中国队的大巴车，中国

de yùndòngyuán zhǔdòng zèngsòng gěi tā yì fú xiùyǒu Huáng
的运动员主动赠送给他一幅绣有黄

Shān fēngjǐngtú de zhījǐn , Kē'ēn hòulái huízèngle
山风景图的织锦(brocade)，科恩后来回赠了

yí jiàn dàiyǒu hépíng biāozhì de yùndòngshān . Zhè yì ǒu'rán
一件带有和平标志的运动衫。这一偶然

shìjiàn mǎshàng chéngwéi hōngdòng quán shìjiè de xīnwén . yuè
事件马上成为轰动全世界的新闻。4月

rì , Máo Zédōng zài bǐsài bìmù qiánxī juédìng yāoqǐng
7日，毛泽东在比赛闭幕前夕决定邀请

Měiguóduì lái Zhōngguó fǎngwèn , Níkèsōng lìjí tóngyìle
美国队来中国访问，尼克松立即同意了

Zhōngfāng de yāoqǐng . nián de chūntiān , Měiguó
中方的邀请。1971年的春天，美国

Pīngpāngqiú Dàibiǎotuán shǒu cì fǎngwèn Zhōngguó , Zhōng-Měi
乒乓球代表团首次访问中国，中美

liǎng guó de pīngpāngqiú yǒuyìsài zài Běijīng jǔxíng , liúxià le
两国的乒乓球友谊赛在北京举行，留下了

shēnyuǎn de zhèngzhì yǐngxiǎng , wèi Zhōng-Měi rénmín de
深远的政治影响，为中美人民的

jiāowǎng hé liǎng guó de wàijiāo qiāokāile dàmén . Zhè jiù shì
交往和两国的外交敲开了大门。这就是

bèi Zhōu Ēnlái zǒnglǐ chēngwéi xiǎo qiú tuīdòng dà qiú de
被周恩来总理称为小球推动大球的

“ Pīngpāng Wàijiāo ” .
“乒乓外交”。

Zhōngguó wèi tuīdòng Pīngpāngqiú
中国 为推动 乒乓球

yùndòng zài quán shìjiè de fāzhǎn
运动 在 全世界 的发展

zuòchū le xǔduō nǔlì, rú:
做出 了 许多 努力，如：

Zhōngguó de pīngpāngqiú jùlèbù
中国 的 乒乓球 俱乐部

zhǔdòng yāoqǐng shìjiè gè guó de
主动 邀请 世界各国 的

pīngpāngqiú dǐngjí yùndòngyuán lái
乒乓球 顶级 运动员 来

cānjiā Zhōngguó Pīngpāngqiú Liánsài
参加 中国 乒乓球 联赛

; yòu bǎ jiàoliàn
(league matches)；又 把 教练

hé yùndòngyuán pàidào gè guó qù cānyù jì-zhànshù jiāoliú hé
和 运动员 派到 各国 去 参与 技战术 交流 和

péixùn gōngzuò. Kěyǐ shuō, duìyú pīngpāngqiú yùndòng de
培训 工作。可以 说，对于 乒乓球 运动 的

tuīguǎng hé pǔjí, Zhōngguó gōngbùkěmò
推广 和 普及，中国 功不可没 (one's merits

cannot be ignored)。

Zài Zhōngguó Kàn Qiú
# 在中国看球

Yàoshi zài qián jǐ nián, zài Zhōngguó kàn qiú shì jiàn tǐng
要是在前几年，在中国看球是件挺

shòuzuì de shìr. Kàn lánqiú ba,
受罪 (have a hard time) 的事儿。看篮球吧，

Zhōngguó běntǔ de dà pái míngxīng, xiàng Yáo
中国本土 (native land) 的大牌明星，像姚

Míng a, Yì Jiànlián a, dōu qù dǎqiú le, guónèi
明啊，易建联啊，都去 NBA 打球了，国内

de qiúshì cǎndàn;
的球市 (ball game market situation) 惨淡 (sluggish)；

kàn zúqiú ba , nàxiē guónèi qiúxīng zài " Zhōng-Chāo "
看足球吧，那些国内球星在"中超"(Chinese
xiǎodǎ-xiǎonào
Football Association Super League) 小打小闹 (do sth.
háixíng , yì dēngshàng guójì
in dribs and drabs) 还行 (passable)，一登上国际
wǔtái jiù jítǐ lòuxiànr , kàn de
舞台就集体露馅儿 (give the game away)，看得
rén xīnfán-qìzào .
人心烦气躁。

Búguò , zhè jǐ nián Zhōngguó de qiúshì fāzhǎn de
不过，这几年中国的球市发展得
yuèláiyuè hǎo le Zìcóng nián chāojí qiúxīng
越来越好了。自从2009年NBA超级球星
Sīdìfēn · Mǎbùlǐ jiāméng Zhōngguó Lánqiú Zhíyè Liánsài
斯蒂芬·马布里加盟中国篮球职业联赛(CBA)
yǐlái , yuèláiyuè duō de qiúxīng láidào Zhōngguó dǎ
以来，越来越多的NBA球星来到中国打
qiú , bùguǎn shì Màikègéléidí , háishi Yuēshí · Shǐmìsī ,
球，不管是麦克格雷迪，还是约什·史密斯，
yìhuò shì Kěnyáng · Mǎdīng , tāmen de lánqiú jìshù shuǐpíng hé
抑或是肯扬·马丁，他们的篮球技术水平和
zài qiúchǎng shang de lǐngdǎo nénglì gěi qiúduì dàilái jídà de
在球场上的领导能力给球队带来极大的
bāngzhù , tāmen zài Zhōngguó dōu yǒu shù shíwàn jì de tiěgǎn
帮助，他们在中国都有数十万计的铁杆
fěnsī , suǒyǐ , zhèxiē nián lái , yǐnjìnle dà
(loyal) 粉丝 (fans)，所以，这些年来，引进了大

pái wàiyuán de jùlèbù dōu yǒule jí
牌 外援 (foreign player) 的 俱乐部 (club) 都 有了 极

dà de jìnbù, zhèxiē chéngjì shì yǔ láizì de qiúyuán
大 的 进步，这些 成绩 是 与 来自 NBA 的 球员

fēn bu kāi de. Dāngrán, zhè qízhōng huòdé zuì dà chénggōng
分 不 开 的。当然，这 其中 获得 最大 成功

de jiù shì Sīdìfēn · Mǎbùlǐ le.
的 就 是 斯蒂芬·马布里 了。

nián, yǐjīng láidào Zhōngguó sān nián de Mǎbùlǐ
2012 年，已经 来到 中国 三 年 的 马布里

zhōngyú shíxiànle mèngxiǎng, dàilǐng Běijīng Jīnyú Lánqiúduì
终于 实现了 梦想，带领 北京 金隅 篮球队

yíngdéle de zǒng guànjūn, ér tā yě bèi Běijīng qiúmí
赢得了 CBA 的 总 冠军，而 他 也 被 北京 球迷

qīnqiè de chēngwéi "Lǎo Mǎ". Rújīn de Lǎo Mǎ yǐjīng
亲切地称为"老马"。如今的老马已经
xíguànle Běijīng de shēnghuó, tā shènzhì shuō tā zìjǐ shì
习惯了北京的生活，他甚至说他自己是
dìdìdàodào de Běijīngrén, jǐ dìtiě, chī jiānbing, shuō
地地道道的北京人，挤地铁，吃煎饼，说
xiàngsheng, tīng jīngjù, zhè dōu shì Lǎo Mǎ zài Běijīng
相声，听京剧，这都是老马在北京
shēnghuó de lèqù. Lǎo Mǎ zuì tèbié de lèqù hái yīnggāi
生活的乐趣。老马最特别的乐趣还应该
shuō shì qù Běijīng Gōngrén Tǐyùchǎng kàn Běijīng Guó'ān
说是去北京工人体育场看北京国安
de bǐsài. Lǎo Mǎ kěshì
(Beijing Guoan Football Club)的比赛。老马可是
Guó'ān de tiěgǎnr qiúmí, zhǐyào yǒu shíjiān, Guó'ān de
国安的铁杆儿球迷，只要有时间，国安的
bǐsài Lǎo Mǎ chǎngchǎng bú là.
比赛老马场场不落(to miss)。

Shuōdào Guó'ān, jiù bùdébù tí Běijīng Gōngrén Tǐyùchǎng
说到国安，就不得不提北京工人体育场
(jiǎnchēng "Gōng-Tǐ"), zhèli zuòwéi Zhōng-Chāo de móguǐ
(简称"工体")，这里作为中超的魔鬼
zhǔchǎng, lìng qítā qiúduì wàng'érshēngwèi. Měi dào bǐsài
主场，令其他球队望而生畏。每到比赛
rì, zhèli jiù biànchéng le lǜsè de hǎiyáng (Guó'ān duìfú
日，这里就变成了绿色的海洋(国安队服
de yánsè), qiúmímen de nàhǎn, gēchàng, huānhū shì
的颜色)，球迷们的呐喊、歌唱、欢呼是

Guó'ān zúqiúduì qǔdé hǎo chéngjì de dònglì .
国安足球队取得好成绩的动力。

Guǎngzhōu Héng dà Zúqiú Jùlèbù shì shǎoshù jǐ gè zài
广州恒大足球俱乐部是少数几个在
Běijīng Gōng-Tǐ huòdéguo shènglì de qiúduì zhī yī . Tāmen
北京工体获得过胜利的球队之一。他们
nián zài Zhōng-Chāo liánsài zhōng juéqǐ
2012年在中超联赛中崛起(rise to
, liánxù liǎng nián yíngdéle guànjūn , chuàngzàole
prominence)，连续两年赢得了冠军，创造了
qíjì . nián tāmen yòu dǎrù le Yàzhōu Zúqiú Jùlèbù
奇迹。2013年他们又打入了亚洲足球俱乐部
Guànjūnsài de juésài , bìng pěngqǐ le guànjūn de jiǎngbēi . Zhè
冠军赛的决赛，并捧起了冠军的奖杯。这
shì Zhōngguó qiúduì dì-yī cì huòdé zhè xiàng shūróng . Héngdà
是中国球队第一次获得这项殊荣。恒大

de juéqǐ déyì yú guójìhuà de guǎnlǐ. Zài
的崛起得益于(benefit from)国际化的管理。在

yǐnjìnle duō wèi guójì qiúxīng zhīhòu, Héngdà yòu qǐnglái
引进了多位国际球星之后，恒大又请来

Yìdàlì zhùmíng jiàoliàn Lǐpí dānrèn zhǔjiàoliàn. Wèile
意大利著名教练里皮担任主教练。为了

péiyǎng Zhōngguó zúqiú réncái, hái jiànlìle Héngdà zúqiú
培养中国足球人才，还建立了恒大足球

xuéxiào. Gāo'é de tóurù huànláile fēnghòu de huíbào, Héngdà
学校。高额的投入换来了丰厚的回报，恒大

chéngjì fěirán, zhǔchǎng yí piào nán qiú. Rújīn
成绩斐然(brilliant)，主场一票难求。如今

de Héngdà yǐjīng màirù shìjiè dǐngjí jùlèbù zhī liè.
的恒大已经迈入世界顶级俱乐部之列。

Héngdà bùjǐn tǐxiànle Zhōngguó zúqiú de shuǐpíng, yě
恒大不仅体现了中国足球的水平，也

tǐxiànle Yàzhōu zúqiú de jìnbù.
体现了亚洲足球的进步。

Lǐ Chénglóng De Gōngfumèng

# 李成龙的功夫梦

Tā jiào Lǐ Chénglóng, jīnnián suì, láizì Fēizhōu
他叫李成龙，今年21岁，来自非洲

Jǐnèiyàbǐshào. Dà duōshù de Zhōngguórén kěnéng bù zhīdào
几内亚比绍。大多数的中国人可能不知道

shìjiè shang háiyǒu yí gè guójiā jiào zhège míngzi, dànshì
世界上还有一个国家叫这个名字，但是

tāmen yì tīng Lǐ Chénglóng de míngzi, jiù zhīdào tā shì lái
他们一听李成龙的名字，就知道他是来

Zhōngguó gàn shénme de , tā kěndìng búshì lái xué zuò fàn
中国干什么的，他肯定不是来学做饭
de , hāha — tā shì lái xué gōngfu de . Lǐ Chénglóng zài
的，哈哈——他是来学功夫的。李成龙在
Zhōngguó shēnghuó sì nián le , zài zhè sì nián li , tā
中国生活四年了，在这四年里，他
búdàn xuéle yìxiē " sān jiǎo māo " de gōngfu
不但学了一些“三脚猫”的功夫(superficial
, hái xuéhuì le Zhōngguórén de yōumò .
martial art skills)，还学会了中国人的幽默。
Běijīngrén guǎn zhè zhǒng kāi wánxiào de fāngshì jiào " dòupín
北京人管这种开玩笑的方式叫“逗贫
" . Péngyoumen , nǐmen xiǎng tīngting Lǐ
(crack jokes)”。朋友们，你们想听听李
Chénglóng dòupín ma ? Wǎng xià kàn ba .
成龙逗贫吗？往下看吧。

Lái Zhōngguó yǐqián , Lǐ Chénglóng jiù tèbié mí Zhōngguó
来中国以前，李成龙就特别迷中国
gōngfu , Lǐ Xiǎolóng , Chéng Lóng , Lǐ Liánjié dōu shì tā de
功夫，李小龙、成龙、李连杰都是他的
ǒuxiàng . Nà shíhou , tā juéde suǒyǒu de Zhōngguórén dōu shì
偶像。那时候，他觉得所有的中国人都是
wǔshù gāoshǒu , néng zài tiānshang fēilái fēiqù , néng yì jiǎo
武术高手，能在天上飞来飞去，能一脚
tīdǎo yì kē shù , yì quán dǎsǐ yì tóu niú . Gāng lái
踢倒一棵树，一拳打死一头牛。刚来
Zhōngguó de shíhou , Lǐ Chénglóng hěn hàipà , fēicháng
中国的时候，李成龙很害怕，非常

xiǎoxīn, zài Sānlǐtún de jiǔbā hē jiǔ de shíhou, kàndào
小心，在三里屯的酒吧喝酒的时候，看到
Zhōngguórén yí duì tā dèng yǎnjing, tā jiù mǎshàng
中国人一对他瞪眼睛(glareat)，他就马上
dīxià tóu bù shuōhuà le. Hòulái tā mànmān de shúxīle
低下头不说话了。后来他慢慢地熟悉了
zhèli, yě yǒule hěnduō Zhōngguó péngyou, cái zhīdào yuánlái
这里，也有了很多中国朋友，才知道原来
bǎi fēn zhī jiǔ shí jiǔ diǎn jiǔ jiǔ de Zhōngguórén dōu bú huì gōngfu.
百分之九十九点九九的中国人都不会功夫。
Lǐ Chénglóng juéde yǐqián de tā zhēnshi hěn shǎ hěn tiānzhēn.
李成龙觉得以前的他真是很傻很天真。
Dànshì tā réngrán méiyǒu fàngqì, yìbiān xuéxí Hànyǔ yìbiān
但是他仍然没有放弃，一边学习汉语一边
xúnzhǎo míngshī xué gōngfu, zhí dào zài Xiāngshān Gōngyuán
寻找名师学功夫，直到在香山公园
yùdàole Chéng shīfu.
遇到了程师父。

Nà shì nián de qiūtiān, Lǐ Chénglóng hé péngyou
那是2011年的秋天，李成龙和朋友
qù Xiāng Shān wán, yùdào yí gè lǎodàye zài wǔ dāo.
去香山玩，遇到一个老大爷在舞刀。
Lǎodàye mǎntóu báifà, què jīngshén-dǒusǒu,
老大爷满头白发，却精神抖擞(be vigorous and
jǐshí jīn de dàdāo zài tā shǒu zhōng
energetic)，几十斤的大刀在他手中
hǔhǔ-shēngfēng, jiù xiàng diànyǐng li de juéshì gāoshǒu
虎虎生风，就像电影里的绝世高手

yíyàng, tā jiù shì Chéng shīfu. Lǐ Chénglóng yíxià jiù bèi
一样，他就是程师父。李成龙一下就被

lǎodàye xīyǐn zhù le, zúzú kànle bàn gè xiǎoshí. Tā
老大爷吸引住了，足足看了半个小时。他

ànnà-búzhù jīdòng de xīnqíng, chèn
按捺不住 (be unable to suppress) 激动的心情，趁

Chéng shīfu xiūxi de shíhou, pǎoshàng qián qù gēn tā shuō:
程师父休息的时候，跑上前去跟他说：

" Nín de gōngfu tài lìhai le, wǒ xiǎng gēn nín xuéxí
“您的功夫太厉害了，我想跟您学习

gōngfu ." Nà shíhou Lǐ Chénglóng zìxìn mǎnmǎn
功夫。"那时候李成龙自信满满(be full of

, yīnwèi tā de shēntǐ tiáojiàn hěn hǎo , xiàng
confidence)，因为他的身体条件很好，像

quánjī yùndòngyuán yíyàng , tā juéde lǎodàye yídìng huì shōu
拳击运动员一样，他觉得老大爷一定会收

tā zuò túdi de . Kěshì lǎodàye zhǐshì duì Lǐ Chénglóng
他作徒弟的。可是老大爷只是对李成龙

xiào le xiào , shēnchū yì zhī shǒu , tānkāi
笑了笑，伸出一只手，摊开(to unfold)

shǒuzhǎng , zuòle yí gè " wǔ " de shǒushì . Lǐ Chénglóng
手掌，做了一个"五"的手势。李成龙

xīnxiǎng : zhè shì shénme yìsi ? Wǔbǎi kuài qián ? Tā yóuyù
心想：这是什么意思？五百块钱？他犹豫

de duì lǎodàye shuō : " Wǔbǎi kuài qián , tài guì
(hesitant)地对老大爷说："五百块钱，太贵

le , wǒ háishì gè xuésheng " Lǎodàye xiàozhe yáole
了，我还是个学生……"老大爷笑着摇了

yáo tóu . Lǐ Chénglóng yòu shuō : " Wǔ diǎn ? Tài zǎo le , hái
摇头。李成龙又说："五点？太早了，还

méiyǒu gōngjiāochē ne . " Lǎodàye yòu yáole yáo tóu , kàn Lǐ
没有公交车呢。"老大爷又摇了摇头，看李

Chénglóng yì liǎn mímáng , zuìhòu zhōngyú shuōhuà
成龙一脸迷茫(perplexed)，最后终于说话

le : " Měi gè xīngqī Wǔ lái . "
了："每个星期五来。"

Jiù zhèyàng Lǐ Chénglóng gěi shīfu jìngle " bàishī chá
就这样李成龙给师父敬了"拜师茶(tea

presented by an apprentice to his master as he comes

”， ránhòu jiù zhèngshì kāishǐ xuéxí gōngfu
under tutorship)”，然后就 正式 开始学习 功夫

le . Chéng Shīfu búdàn huì wǔ dāo wǔ jiàn， hái huì dǎ
了。程 师父 不但 会 舞 刀 舞剑，还 会 打

tàijí . Hòulái， Lǐ Chénglóng de yìzhāo-yíshì dǎ de
太极。后来，李 成龙 的 一招一式 打 得

yǒumó-yǒuyàng le . Shīfu jiàodǎo tā shuō， xué gōngfu bú shì
有模有样 了。师父 教导 他 说，学 功夫 不 是

yòng lái dǎjià dòu hěn de， érshì
用 来 打架 斗 狠 (strive for superiority) 的，而是

wèile qiángshēn-jiàntǐ， xiūshēn-yǎngxìng
为了 强身健体，修身养性 (cultivate one’s mind

， Qiānwàn búyào xuéhuìle
and develop one’s character)，千万 不要 学会了

gōngfu jiù qù qīfu ruòxiǎo， rěshì-shēngfēi
功夫 就 去 欺负 (to bully) 弱小、惹是生非 (stir up

， nà bú shì Zhōngguó wǔshù de “ dào ” .
trouble)，那 不 是 中国 武术 的“道 (way)”。

Kāishǐ， Lǐ Chénglóng hái bú tài lǐjiě， diànyǐng li huì
开始，李 成龙 还 不 太 理解，电影 里 会

gōngfu de rén bú shì wèile bǐwǔ bàochóu shénme de cái xué
功夫 的 人 不 是 为了 比武 报仇 什么 的 才 学

de gōngfu ma? Zhí dào hòulái， tā kànle yí bù gōngfu
的 功夫 吗？直到 后来，他 看了 一 部 功夫

piānr， míngzi jiào《 YīDài Zōngshī 》， suīrán tā bú tài
片儿，名字 叫《一代 宗师》，虽然 他 不 太

míngbai lǐmian nàxiē wǔshùjiā shuō de huà, dànshì yǒudiǎn'r
明白 里面 那些 武术家 说 的话，但是 有点儿
míngbaile shīfu de huà: tāmen jiānshǒu zìjǐ de
明白了 师父的话：他们 坚守 (stand fast) 自己 的
"dào", cái néng ràng Zhōngguó wǔshù fāzhǎn zhìjīn.
"道"，才 能 让 中国 武术发展至今。

Xiànzài xuéxí tàijíquán de rén bǐjiào duō, xuéxí qítā
现在 学习 太极拳 的人比较 多，学习 其他
gōngfu de rén bù chángjiàn le. Lǐ Chénglóng juéde, Zhōngguó
功夫 的 人 不 常见 了。李 成龙 觉得， 中国
tǐyù jiè, shènzhì shìjiè tǐyù jiè dōu yìnggāi zhòngshì gōngfu.
体育界，甚至 世界 体育界都 应该 重视 功夫。
Zhōngguó gōngfu, gēn Chángchéng, Gù Gōng, Běijīng kǎoyā
中国 功夫，跟 长城 、故宫、北京 烤鸭
yíyàng (Yí, zěnme yòu shuō dào chī le), shì lǎozǔzong
一样（咦，怎么 又 说 到 吃 了），是 老祖宗
liúgěi zánmen de bǎoguì yíchǎn.
(ancestor) 留给 咱们 的 宝贵 遗产 (legacy)。

Tā jiào Lǐ Chénglóng, jīn nián suì. Tā zhèngzài xuéxí
他叫李 成龙 ，今年 21 岁。他 正在 学习
Zhōngguó gōngfu, nǐ yào jiārù ma?
中国 功夫，你要 加入 吗？

# Qí Chē Yóu Zhōngguó
# 骑车游中国

Xiànzài yuèláiyuè duō de wàiguórén lái Zhōngguó lǚyóu .
现在 越来越 多 的 外国人 来 中国 旅游。

Bù kuāzhāng de shuō , zài Zhōngguó rènhé yí gè lǚyóu
不 夸张 地 说， 在 中国 任何 一个 旅游

jǐngdiǎn dōu néng kàndào yáng miànkǒng . Tāmen huò liúlǎn
景点 都 能 看到 洋 面孔 。他们 或 浏览

míngshān dàchuān , huò mànbù zài gǔlǎo de jiēxiàng , huò
名山 大川， 或 漫步 在 古老 的 街巷， 或

cānguān míngshènggǔjì , huò pǐncháng zhōngguó měishí huò gēn
参观 名胜古迹， 或 品尝 中国 美食 或 跟

Zhōngguó de xiǎofàn bǐhuazhe tǎojiàhuánjià ···
中国 的 小贩 比画着 讨价还价 (to bargain)······

Zhōngguó de yíqiè duìyú wàiguórén láishuō dōushì shénmì de
中国 的 一切对于外国人 来说 都是 神秘的、

xīnqí de shènzhì yǒuxiē rén liú xiàlai yòng gèzì fāngshì shēnrù
新奇的，甚至有些 人留下来，用各自方式深入

liǎojiě zhège guójiā .
了解这个国家。

Zìxíngchē céngjīng shì Zhōngguó zuì zhǔyào de jiāotōng
自行车 曾经 是 中国 最 主要 的 交通

gōngjù , " zìxíngchē wángguó " zhège chēnghào céng bànsuí
工具，“自行车 王国”这个 称号 曾 伴随

Zhōngguó hěnduō nián , zúyǐ tǐxiàn tā zài Zhōngguó lǎobǎixìng
中国 很多 年，足以体现它在 中国 老百姓

shēnghuó zhōng de zhòngyào dìwèi . Jìnxiē nián , mǎlù shang
生活 中 的 重要 地位。近些 年，马路 上

de zìxíngchē yuèláiyuè shǎo le， qǔ'ér-dàizhī de shì yuèláiyuè
的自行车越来越少了，取而代之的是越来越
duō de qìchē hé diàndòngchē， tā sìhū zhèngzài mànmān de
多的汽车和电动车，它似乎正在慢慢地
tuìchū lìshǐ wǔtái. Dànshì yìxiē láizì yìguó de yóukèmen
退出历史舞台。但是一些来自异国的游客们
zhèngzài yǐ tāmen de fāngshì jǐyǔ zìxíngchē xīn de
正在以他们的方式给予自行车新的
shēngmìng qíchē yóu Zhōngguó.
生命——骑车游中国。

Lǐ Wéikè shì Bōlánrén， diǎnxíng de "hútòng cuàn
李维克是波兰人，典型的"胡同串
zi"
子"(someone who often travels through the lanes and
， Lǎoběijīngrén dōu méiyǒu tā de hútòng duō.
alleys)，老北京人都没有他去过的胡同多。
Měi gè zhōumò tā dōu qízhe tā zài "tiàozao shìchǎng
每个周末他都骑着他在"跳蚤市场(flea
" táolái de Yǒngjiǔ pái zìxíngchē (Zhōngguó zìxíngchē
market)"淘来的永久牌自行车（中国自行车
chuántǒng pǐnpái， rúguǒ niándài shuíjiā yǒu liàng Yǒngjiǔ pái
传统品牌，如果80年代谁家有辆永久牌
zìxíngchē jiù gēn xiànzài yǒu liàng qìchē chàbuduō) chuānxíng
自行车就跟现在有辆汽车差不多）穿行
yú Běijīng de dà、xiǎo hútòng. Tā duì hútòng de chīmí
于北京的大、小胡同。他对胡同的痴迷(be
， yuányú péngyou sòng gěi tā de yí gè láizì
infatuated)，源于朋友送给他的一个来自

Dàshíqiáo Hútòng de qīngtóng ménpáir . Mōzhe ménpáir shang
大石桥 胡同 的 青铜 门牌儿。摸着 门牌儿 上
bānbó de xiùjì , tā shuō tā néng
斑驳 (mottled) 的 锈迹 (rustspot)，他 说 他 能
gǎnshòu dào hútòng li de dàye dàmā de rèqíng . Lǐ Wéikè
感受 到 胡同里 的 大爷 大妈 的 热情。李 维克
bù zhǐ shì qí zhe zìxíngchē xiā guàng , měi dào yì tiāo hútòng
不 只是 骑 着 自行车 瞎 逛，每 到 一 条 胡同
tā dōu shìtú dǎting hútòng de míngzi yǒu shénme diǎngù
他 都 试图 打听 胡同 的 名字 有 什么 典故
, yǒu méiyǒu fāshēngguo yìxiē lìshǐ shìjiàn , zhù
(allusion)，有 没有 发生过 一些 历史 事件，住
méi zhù guo yìxiē míng rén . Yīlái-èrqù , Lǐ Wéikè de
没 住过 一些 名 人。一来二去，李 维克 的
Běijīnghuà yuèláiyuè dìdào le , yǒushíhou tā hái zài hútòng li
北京话 越来越 地道 了，有时候 他 还 在 胡同里
de dàye dàmā jiā cèngfàn tīng gùshi .
的 大爷 大妈 家 蹭饭 (have a free meal) 听 故事。
Xiànzài Lǐ Wéikè zhèngzài zhǔnbèi tā de hútòng shèyǐngzhǎn
现在 李 维克 正在 准备 他 的 胡同 摄影展
yǐjí yí tào míng wéi 《 Lǎo Běijīng Gùshi Huì 》 de xìliè
以及 一 套 名 为《老 北京 故事 汇》的 系列
cóngshū , nàxiē rènshi Lǐ Wéikè de " " yě qīdài
丛书，那些 认识 李 维克 的“老北京”也 期待
tā néng bǎ hútòng wénhuà dàidào quán shìjiè .
他 能 把 胡同 文化 带到 全 世界。

Tāngmǔ hé Zhūdí fūqī èr rén yǐjīng zài Zhōngguó shēnghuó
汤姆 和 朱迪 夫妻 二人 已经 在 中国 生活

liù nián le . Zài zhè liù nián de shíjiān lǐ , tāmen yǒu yì
六年了。在这六年的时间里，他们有一
duōbàn shì zài gōnglù shang dùguò de , tāmen qízhe zìxíngchē
多半是在公路上度过的，他们骑着自行车
yóubiàn le Zhōngguó de dàjiāng-nánběi . Tāmen qí xíng de
游遍了中国的大江南北。他们骑行的
shēnyǐng zuì zǎo chūxiàn zài " Huán Qīnghǎi Hú Gōnglù Zìxíngchē
身影最早出现在“环青海湖公路自行车
Bǐsài " shang . Suīrán tāmen nà cì de chéngjì bù lǐxiǎng ,
比赛”上。虽然他们那次的成绩不理想，
dàn zhè bìng bù yǐngxiǎng tāmen de yúkuài xīnqíng . Tāngmǔ
但这并不影响他们的愉快心情。汤姆
shuō , tāmen bèi Qīnghǎi Hú nà shénqí zhuàngměi de jǐngsè
说，他们被青海湖那神奇壮美的景色
zhènhàn le , bèi dàzìrán de měijǐng xīyǐn zhù le , shuí hái
震撼了，被大自然的美景吸引住了，谁还
gù de shàng qù cānjiā bǐsài ne ? Nà yí cì , tāmen xiàdìng
顾得上去参加比赛呢？那一次，他们下定
juéxīn , yào qíchē yóulǎn Zhōngguó de zhuànglì shānhé . Xiànzài
决心，要骑车游览中国的壮丽山河。现在
fūqī liǎ de zìxíngchē yǐjīng dàoguo Zhōngguó de gè
夫妻俩的自行车已经到过中国的24个
shěng . Tāmen jiē xiàlai de mùbiāo shì qíshàng Qīng-Zàng
省。他们接下来的目标是骑上青藏
gāoyuán , qídào shènghú Hàmùcuò , qíxiàng Lāsà Bùdálāgōng .
高原，骑到圣湖纳木错，骑向拉萨布达拉宫。

Tīng qǐlai quèshí hěn fēngkuáng , yào kèfú nàme èliè
听起来确实很疯狂，要克服那么恶劣

de qìhòu tiáojiàn hé fùzá de dìxíng ,
(harsh) 的气候条件和复杂 (complicated) 的地形，

rúguǒ méiyǒu diǎnr zhuānyè qíxíng zhīshi hé yìlì , tǐlì ,
如果没有点儿专业骑行知识和毅力、体力，

wánquán shì bù kěnéng dádào de mùbiāo . Búguò xiànzài yǐjīng
完全是不可能达到的目标。不过现在已经

yǒu bùshǎo rén xiānghù fúchí zhe wánchéngle
有不少人相互扶持 (to support) 着完成了

QīngZàng Gāoyuán de qíxíng lùchéng , yǒu wàiguórén , yě yǒu
青藏高原的骑行路程，有外国人，也有

Zhōngguó de niánqīngrén . Tāmen rè'ài qíxíng , tiǎozhànzhe yí
中国的年轻人。他们热爱骑行，挑战着一

cì yòu yí cì shuō zǒu jiù zǒu de lǚxíng .
次又一次说走就走的旅行。

Zài Zhōngguó yǒu zhème yí jù huà , “ dú wàn juàn shū ,
在中国有这么一句话，“读万卷书，

xíng wànlǐ lù ” , èrzhě dōu shì zēngzhǎng jiànshi de fāngfǎ .
行万里路”，二者都是增长见识的方法。

qíchē yóu Zhōngguó shì liǎojiě Zhōngguó de yì zhǒng fēicháng
骑车游中国是了解中国的一种非常

hǎo de fāngshì , bǐ túbù shěng tǐlì , bǐ kāichē gèng huánbǎo .
好的方式，比徒步省体力，比开车更环保。

Pǔtōng yóukè duǎnzàn de zǒumǎ-guānhuā shì de yóulǎn hěn
普通游客短暂的、走马观花式的游览很

nánzhēnzhèng rènshi Zhōngguó . Jiébàn qíchē yóu Zhōngguó ba ,
难真正认识中国。结伴骑车游中国吧，

nǐ yídìng huìyǒu yìwài shōuhuò de !
你一定会有意外收获的！

Zhāng Xiǎofēi De Pǎobù Shēngyá

## 章小飞的跑步生涯

Zhāng Xiǎofēi, Shāndōngrén, tā jiārù "Dòubàn

章小飞，山东人，他加入“豆瓣

(douban.com, a Chinese social networking website allowing users to record information and create and share content such as films, books, music, recent events and

Pǎobù Xiǎozǔ" shì zài nián chūntiān. Nà

activities) 跑步小组”是在 2012 年春天。那

shíhou, měi cì Zhāng Xiǎofēi gēn biéren tíqǐ tā pǎobù de
时候，每次章小飞跟别人提起他跑步的

shìr, shuō de zuì duō de yí jù huà shì "Nǐ kě bù
事儿，说的最多的一句话是"你可不

zhīdào yí gè pàngzi jiānchí pǎobù yǒu duō tòngkǔ, měi cì pǎo-
知道一个胖子坚持跑步有多痛苦，每次跑

wán yǐhòu dōu huì biànchéng yì zhī sǐ pàngzi".
完以后都会变成一只死胖子"。

Zhāng Xiǎofēi shì gè běipiāo, zài Zhōngguāncūn shàngbān,
章小飞是个北漂，在中关村上班，

gǎo de, wàijiè chángcháng chēng tāmen wéi "mǎnóng
搞IT的，外界常常称他们为"码农(Code

" huò "chéngxù
Farmer, nickname for software developers)"或"程序

yuán
猿(Programme Monkey, nickname for computer

". Zài zǎo-wǎngāofēng de dìtiě shang, rúguǒ
programmers)"。在早晚高峰的地铁上，如果

nǐ kàndào zhèyàng yí gè rén: xùshān, shuāngjiānbēi,
你看到这样一个人：T恤衫、双肩背，

yóuhūhū de zǎocān wǎng zuǐli sāi; hòu yǎnjìng, quánshēn
油乎乎的早餐往嘴里塞；厚眼镜，全身

féi, shēnbiān méiyǒu nǚshēng péi, nà shíyǒubājiǔ shì Zhāng
肥，身边没有女生陪，那十有八九是章

Xiǎofēi. Zài Zhāng Xiǎofēi shēn shang néng zhǎodào yíqiè
小飞。在章小飞身上能找到一切

chéngxùyuán de tèzhì .
程序猿的特质(distinctive character)。

Zài kàndào yì piān guānyú “mǒu gōngsī chéngxùyuán
在看到一篇关于“某公司程序员

gōngzuò gǎngwèi cùsǐ ” de bàodào zhīhòu,
工作岗位猝死(die suddenly)”的报道之后，

Zhāng Xiǎofēi yìshi dào, chéngxùyuán qíshí shì yí gè gāowēi
章小飞意识到，程序员其实是一个高危

qúntǐ, jiābān yòng nǎo guòdù shēnghuó
(high-risk job)群体，加班、用脑过度、生活

bù guīlǜ wúshí-wúkè bú zài sǔnhàizhe tā de jiànkāng, bìxū
不规律无时无刻不在损害着他的健康，必须

chèn shēngmìng hé tóufa dōu jiànzài de
趁生命和头发都健在(alive and healthy)的

shíhou, xiǎng xiē bànfǎ wǎnliú zhù tāmen. Jiù zhèyàng, Zhāng
时候，想些办法挽留住它们。就这样，章

Xiǎofēi yìwúfǎngù de jiārùle Dòubàn Pǎobù
小飞义无反顾(resolutely)地加入了豆瓣跑步

Xiǎozǔ. Dòubàn shì Zhōngguó niánqīngrén xuéxí, shēnghuó,
小组。豆瓣是中国年轻人学习、生活、

xiūxián, yúlè, jiāoliú de wǎngluò shèqū. Zài Dòubàn Pǎobù
休闲、娱乐、交流的网络社区。在豆瓣跑步

Xiǎozǔ li, pǎoyǒumen chángcháng fā tiē jiāoliú pǎobù jīngyàn,
小组里，跑友们常常发帖交流跑步经验，

jìlù pǎobù qùwén, Zhāng Xiǎofēi zài zhèli xuéhuì le zěnyàng
记录跑步趣闻，章小飞在这里学会了怎样

zài pǎobù shí tiáozhěng hūxī, bìmiǎn shòushāng, yǐjí rúhé
在跑步时调整呼吸、避免受伤，以及如何

xuǎnzé pǎobù zhuāngbèi. Wànshì-jùbèi, Zhāng Xiǎofēi kāishǐle
选择跑步装备。万事俱备，章小飞开始了

tā de pǎobù jìhuà .
他的跑步计划。

Zhāng Xiǎofēi bǎ pǎobù shíjiān dìng wéi zǎoshang liù diǎn
章小飞把跑步时间定为早上六点

dào qī diǎn . Duìyú yí gè píngshí bā diǎn qǐchuáng de pàngzi
到七点。对于一个平时八点起床的胖子

láishuō , zhè wúyì yú zìqǔqírǔ
来说,这无异于(not different from)自取其辱(bring

. Zài jìhuá kāishǐ de dì-yī gè xīngqī ,
trouble to oneself)。在计划开始的第一个星期,

Zhāng Xiǎo fēi qǐchuáng de shíjiān bǐ píngshí hái wǎn , měi tiān
章小飞起床的时间比平时还晚,每天

bā diǎn bàn cái qǐchuáng , lǐyóu shì bèi nàozhōng zhémó de
八点半才起床,理由是被闹钟折磨得

gòuqiàng , yào bǔ bàn gè xiǎoshí de jiào . Dì-èr
够呛(unbearable),要补半个小时的觉。第二

gè xīngqī , tā jiēshòule pǎoyǒumen de jiànyì , bǎ nàozhōng
个星期,他接受了跑友们的建议,把闹钟

hé shǒujī dōu dìnghǎo nào líng , fēnbié fàng zài xǐshǒujiān hé
和手机都定好闹铃,分别放在洗手间和

chúfáng , zài zài nàolíng pángbiān fàngshàng yì pén liángshuǐ ,
厨房,再在闹铃旁边放上一盆凉水,

zhèyàng kěyǐ mǎshàng xǐ liǎn , cóng shuìmián zhōng qīngxǐng
这样可以马上洗脸,从睡眠中清醒

guòlai . Yìrì qīngchén , nàozhōng bìng méiyǒu rú
过来。翌日(next day)清晨,闹钟并没有如

tā suǒ yuàn , nà pén liángshuǐ zé bèi gébì fángjiān hé zū de
他所愿,那盆凉水则被隔壁房间合租的

dàgē jiējieshīshī pō zài le tā de bèizi shēntǐ
大哥结结实实泼在了他的被子、身体、
chuángdānr shang. Zhāng Xiǎofēi cāle cā liǎn shang de shuǐ,
床单儿上。章小飞擦了擦脸上的水，
yòu jìxù shuì le. Pǎobù jìhuá zhōngyú bèi lǎnjiào dǎbài
又继续睡了。跑步计划终于被懒觉打败
le, Zhāng Xiǎofēi yě zhōngyú xiàdìng juéxīn, zǎoshang bù
了，章小飞也终于下定决心，早上不
pǎobù le.
跑步了。

Cóng zhè yǐhòu de měi tiān wǎnshang, zài gōngyuán de
从这以后的每天晚上，在公园的
yǒnglù shang, nǐ dōu néng kàndào yí gè féishuò
甬路 (paved path) 上，你都能看到一个肥硕
de shēnqū zài pǎobù, fēngyǔ-wúzǔ, nà jiù shì Zhāng Xiǎofēi.
的身躯在跑步，风雨无阻，那就是章小飞。

Mànmān de, Zhāng Xiǎofēi yǎngchéng le wǎnshang pǎobù de
慢慢地，章小飞养成了晚上跑步的
xíguàn, tā de shēntǐ hé shēnghuó yě dōu suízhī fāshēngle
习惯，他的身体和生活也都随之发生了
biànhuà: Tā bú huì yīnwèi pá lóutī ér qìchuǎn-xūxū le, bú
变化：他不会因为爬楼梯而气喘吁吁了，不
huì yīnwèi tiānqì mēnrè ér xīnfú-qìzào le, bú huì yīnwèi jǐ
会因为天气闷热而心浮气躁了，不会因为挤
dìtiě ér mǎntóudàhàn le; yě méiyǒu rén zài jiào tā sǐ
地铁而满头大汗了；也没有人再叫他死
pàngzi le, hòulái shènzhì yǒu nǚ tóngshì zhǔdòng yuē tā xiàbān
胖子了，后来甚至有女同事主动约他下班
yǐhòu kàn diànyǐng hē kāfēi le. Zhāng Xiǎofēi yǐ zìjǐ de
以后看电影喝咖啡了。章小飞以自己的
qīnshēn jīnglì gàosu wǒmen: Nǐmen zàiyě búyào qīngshì rènhé
亲身经历告诉我们：你们再也不要轻视任何
yí gè Dòubàn Pǎobù Xiǎo zǔ li de pàngzi le.
一个豆瓣跑步小组里的胖子了。

Zài pǎobù de zhè tiáo dàolù shang, Zhāng Xiǎofēi bìng
在跑步的这条道路上，章小飞并
méiyǒu dúshànqíshēn, tā zài tā gòngzhí
没有独善其身 (act independently)，他在他供职
de gōngsī chénglìle yígè pǎobù xiǎozǔ. Tā xiǎng ràng shēnbiān
的公司成立了一个跑步小组。他想让身边
de péngyóumen gēn tā yìqǐ jiànshēn, yě lái tǐhuì pǎobù
的朋友们跟他一起健身，也来体会跑步
dàilái de shénqí tuìbiàn.
带来的神奇蜕变 (transformation)。

nián yuè hào, Běijīng jǔxíng Guójì Mǎlāsōng
2013 年 10 月 20 号，北京 举行 国际 马拉松

bǐsài, zài chéngqiān-shàngwàn rén de chángpǎo duìwu li,
比赛，在 成千上万 人 的 长跑 队伍 里，

yǒu yí gè shēn chuān lán xù, jǐnshēn kù, jīròu jiēshi,
有 一 个 身 穿 蓝 T 恤、紧身裤，肌肉 结实，

hūxī yún bùfá wěn, yì liǎn jiānyì de xiǎohuǒzi, nà jiù
呼吸 匀，步伐 稳，一 脸 坚毅 的 小伙子，那 就

shì Zhāng Xiǎofēi.
是 章 小飞。

Dōngjì De Yóuyú

# 冬季的游鱼

nián yuè rì , Hā'ěrbīn xiàle rùdōng yǐlái
2013 年 11 月 17 日，哈尔滨 下了 入冬 以来
de dì-èr cháng xuě , dà duǒ dà duǒ de xuěhuā cóng tiānshang
的 第二 场 雪，大 朵 大 朵 的 雪花 从 天上
qīngxiè xiàlai , xíngchéng hòuhòu de xuěbèi gài
倾泻 (pour down) 下来， 形成 厚厚 的雪被，盖
zài zhè zuò chéngshì de shēnshang . Dàxuě zàochéngle quánchéng
在 这 座 城市 的 身 上。大雪 造成了 全 城

jiāotōng tānhuàn , chúle dìtiě hé
交通瘫痪 (come to a standstill)，除了地铁和

bùxíng, jīhū zhǎo bu dào gèng hǎo de chūxíng fāngshì. Hěn
步行，几乎找不到更好的出行方式。很

duō rén xuǎnzé zài jiē shang yìbiān sànbù yìbiān kàn xuějǐng qù
多人选择在街上一边散步一边看雪景去

shàngbān.
上班。

Zhè liǎng zhǒng fāngshì dōu bú shìhé Mǎ Xiǎoshuài. Tā de
这两种方式都不适合马小帅。他的

jiā lí gōngsī yuǎn érqiě zuò dìtiě bù fāngbiàn, píngshí kāichē
家离公司远而且坐地铁不方便，平时开车

dōu yào kāi bàn gè xiǎoshí, gèng biétí zǒulù le. Gōngsī
都要开半个小时，更别提走路了。公司

zhèngzài zhǔnbèi yí gè dà xiàngmù de tánpàn, rúguǒ zhège
正在准备一个大项目的谈判，如果这个

shíhou qǐngjià, gūjì huì bèi jīnglǐ cóng chuānghu rēng chūqu.
时候请假，估计会被经理从窗户扔出去。

Tā zìjǐ yìchóumòzhǎn de shíhou, érzi
他自己一筹莫展 (be at wits'end) 的时候，儿子

què rǎngzhe yào chūqu huáxuě , Mǎ Xiǎoshuài yǎnqián yí
却嚷着要出去滑雪 (to ski)，马小帅眼前一

liàng, xiǎngdàole yí gè hǎo zhǔyi. Huáxuě qù shàngbān
亮，想到了一个好主意。滑雪去上班

zěnmeyàng? Mǎ Xiǎoshuài yǐqián shì yèyú huáxuě
怎么样？马小帅以前是业余 (amateur) 滑雪

jiàoliàn , měi nián Chūn Jié qián hòu dōu yào dào
教练 (instructor)，每年春节前后都要到

Yàbùlì Huáxuěchǎng dāishàng jǐ gè zhōumò. Jīntiān xuě dà
亚布力 滑雪场 待上 几 个 周末。今天 雪 大

lù huá, mǎlù liǎng biān de zìxíngchē dào shang kěndìng bú huì
路 滑，马路 两 边 的 自行车道 上 肯定 不会

yǒu zìxíngchē, zhènghǎo kěyǐ yòng lái zuò huádào. Mǎ
有 自行车，正好 可以 用 来 做 滑道。马

Xiǎoshuài qīnle érzi yì kǒu, gàosu tā huílai yǐhòu gěi tā
小帅 亲了 儿子 一 口，告诉 他 回来 以后 给 他

zuò hàochī de, ránhòu jiù chuānhǎo zhuāngbèi chūmén le. Mǎ
做 好吃 的，然后 就 穿好 装备 出门 了。马

Xiǎoshuài xīnli guīhuà le yí gè chēliú hé
小帅 心里 规划 (map out a plan) 了 一 个 车流 和

lùkǒu dōu bǐjiào shǎo de lùxiàn, ránhòu jiù wǔdòng huáxuěgān,
路口 都 比较 少 的 路线，然后 就 舞动 滑雪杆，

bǎidòng shuāng tuǐ, xiàng yì tiáo yóu yú, chuānguò
摆动 双 腿，像 一 条 游 鱼，穿过

dàjiē-xiǎoxiàng, cháozhe gōngsī bēnqù. Lù shang de xíngrén zhǐ
大街小巷，朝着 公司 奔去。路 上 的 行人 只
juéde shēnpáng yí dào hēiyǐng fēiguò, qìliú juǎnqǐ kōngqì
觉得 身旁 一 道 黑影 飞过，气流 卷起 空气
zhōng de xuěpiàn, jiù xiàng yú zài shuǐmiàn jīqǐ de lànghuā.
中 的 雪片，就 像 鱼 在 水面 激起 的 浪花。
Děng kàn qīngchu de shíhou, nà dào shēnyǐng yǐjīng huá chūqu
等 看 清楚 的 时候，那 道 身影 已经 滑 出去
hǎo yuǎn le.
好 远 了。

Shíhuà-shíshuō, rénmen kàn Mǎ Xiǎoshuài de yǎnshén shízài
实话实说，人们 看 马 小帅 的 眼神 实在
shì fùzá: yǒude lìkè jīngdāi le, yǒude wèi tā de ānquán
是 复杂：有的 立刻 惊呆 了，有的 为 他 的 安全
niēle yì bǎ hàn, dǔ zài mǎlù shang nàxiē chē li de rén
捏了 一 把 汗，堵 在 马路 上 那些 车 里 的 人
zé shì xiànmù jídù hèn . Dàjiā fēnfēn
则 是 羡慕 嫉妒 恨 (admire and envy)。大家 纷纷
náchū shǒujī bǎ Mǎ Xiǎoshuài de shēnyǐng jìlù xiàlai,
拿出 手机 把 马 小帅 的 身影 记录 下来，
fādào wēi bó, wēi xìn péngyouquān li, yǐnqǐ le wǎngyǒu-
发到 微博、微信 朋友圈 里，引起 了 网友
men de guǎngfàn tǎolùn. Huáxuě, zhège dōngběi dìqū rénmen
们 的 广泛 讨论。滑雪，这个 东北 地区 人们
zuì xǐ'ài de yùndòng xiàngmù, zài zhège tèshū shíqī
最 喜爱 的 运动 项目，在 这个 特殊 时期
biànchéngle yì zhǒng chūxíng fāngshì, yǒurén rènwéi zhè shì yì
变成了 一 种 出行 方式，有人 认为 这 是 一

zhǒng rè'ài shēnghuó ,
种 热爱 生活、
lèguān xiàngshàng de
乐观 向上 的
tàidù , yìnggāi zànshǎng
态度，应该 赞赏 (to
; yǒurén
appreciate)； 有人
juéde zhè shì duì jiāotōng
觉得 这 是 对 交通
fǎguī de miǎoshì
法规 的 藐视 (to
, búgù tārén de
flout)，不顾 他人 的
rénshēn ānquán , bìxū zhìzhǐ ; háiyǒu rén rènwéi zài méiyǒu
人身 安全，必须 制止；还有 人 认为 在 没有
xíngrén , chēliàng de jiēdào shang huáhua yě bú shì shénme dà
行人、车辆 的 街道 上 滑滑 也不是 什么 大
cuò . Nàme , nǐ rènwéi ne ?
错。那么，你 认为 呢？

Yàbùlì , Yàzhōu shǒuqūyìzhǐ de huáxuě shèngdì , měi
亚布力，亚洲 首屈一指 的 滑雪 胜地，每
nián dōngtiān dōu xīyǐn dàpī tiānnán-dìběi de yóukè láidào
年 冬天 都 吸引 大批 天南地北 的 游客 来到
zhèli , tǐyàn bīngxuě hé sùdù dàilái de kuàilè . Háizimen
这里，体验 冰雪 和 速度 带来 的 快乐。孩子们
sānwǔ-chéngqún diēdiēzhuàngzhuàng ; dàren-
三五成群 跌跌撞撞 (stumbling along)；大人

men cóng gègè xuě pō huá xià, xiāosǎ shuàiqì. Huáxuě
们从各个雪坡滑下，潇洒帅气。滑雪
yùndòng shòudào yuèláiyuèduō rén de xǐ'ài.
运动受到越来越多人的喜爱。

Cǐshí-cǐkè, zài Běijīng de Shíchàhǎi, hěn duō rén
此时此刻，在北京的什刹海，很多人
jìnxíngzhe lìng yì zhǒng yǒu tèsè de dōngjì yùndòng
进行着另一种有特色的冬季运动——
huábīng. Shíchàhǎi Bīngchǎng yǐjīng yǒu shùshí nián de lìshǐ
滑冰。什刹海冰场已经有数十年的历史
le, zhèli shì Běijīngrén dōngtiān yùndòng jiànshēn de zhǔyào
了，这里是北京人冬天运动健身的主要
chǎngsuǒ zhīyī. Bīngchǎng yě shì niánqīngrén dōngjì yuēhuì,
场所之一。冰场也是年轻人冬季约会、
tán liàn'ài de hǎo dìfang. Tāmen shǒu qiānzhe shǒu yìbiān zài
谈恋爱的好地方。他们手牵着手一边在
bīng shang huázhe, yìbiān liáozhe kāixīn de shì, jiù hǎoxiàng
冰上滑着，一边聊着开心的事，就好像
zài yǎnyì yì qū bīng shàng gēwǔjù. Ér zài lí bīngchǎng
在演绎一曲冰上歌舞剧。而在离冰场
bù yuǎn de húbiān, què yǒu yì qún rén zhǐ chuānzhe yǒngyī zài
不远的湖边，却有一群人只穿着泳衣在
bīngshuǐ li dōngyǒng. Zài dōngyǒng de rénqún li, niánjì zuì
冰水里冬泳。在冬泳的人群里，年纪最
dà de yǐjīng suì le, niánjì zuì xiǎo de zhǐyǒu suì,
大的已经82岁了，年纪最小的只有11岁，
tāmen tōngguò zhèzhǒng fāngshì lái móliàn yìzhì, duànliàn
他们通过这种方式来磨炼意志，锻炼

shēntǐ .
身体。

Dōngtiān de bīngxuě bìng méiyǒu bǎ rénmen kùn zài jiā li ,
冬天的冰雪并没有把人们困在家里，

fǎnér gěi nàxiē lèguān , hàodòng de rén tígōngle gèngduō
反而给那些乐观、好动的人提供了更多

yúlè , jiànshēn , tiǎozhàn zìwǒ de jīhui . Hándōng li , lái
娱乐、健身、挑战自我的机会。寒冬里，来

xiǎngshòu bīngxuě yùndòng de kuàilè ba .
享受冰雪运动的快乐吧。

## Chéngshì Hóuzi
## 城市猴子

Pǎokù yě chēngzuò “ chéngshì jízǒu ” huò .
跑酷也称作“城市疾走”或Parkour。
Tā dànshēng yú shàng shìjì niándài de Fǎguó ,
它诞生于上世纪80年代的法国，Parkour
yì cí láizì Fǎwén de , fānyì guòlai jiù shì
一词来自法文的“parcourir”，翻译过来就是
“ dàochù pǎo ” . bǎ zhěnggè chéngshì dàngzuò yí gè
“到处跑”。Parkour把整个城市当作一个
dà xùnliànchǎng , yíqiè wéiqiáng wūdǐng dōu chéngwéi kěyǐ
大训练场，一切围墙屋顶都成为可以

pānpá chuānyuè de duìxiàng,
攀爬(hold onto sth. and climb)穿越的对象，
tèbié shì fèiqì de fángwū. Zhè xiàng jiētóu jízǒu
特别是废弃(derelict)的房屋。这项街头疾走
jíxiàn yùndòng, fēicháng jùyǒu guānshǎngxìng
极限(extreme)运动，非常具有观赏性(visual
delight)。

"Chéngshì hóuzi" chéngshì zhōng pǎokù àihàozhě
"城市猴子"——城市中跑酷爱好者
de zǔzhī. Chén Rán zài jiārù "chéngshì hóuzi" zhīqián,
的组织。陈然在加入"城市猴子"之前，
duànduànxùxù yǒuguo shí nián de jiànshēnfáng jiànshēn
断断续续(on and off)有过十年的健身房健身
jīngyàn, céngjīng duì jiànshēn yǒuguo hěn duō kùnhuò rúguǒ
经验，曾经对健身有过很多困惑——如果
shì wèile bǎ shēncái liànchéng zázhì mótè de yàngzi
是为了把身材练成杂志模特(model)的样子
ér jiànshēn, shìfǒu piānlíle yùndòng de běnzhì? Rúguǒ shì
而健身，是否偏离了运动的本质？如果是
wèile jiànkāng ér jiànshēn, kě jiànshēn yòu huì dàilái bù xiǎo
为了健康而健身，可健身又会带来不小
de shāngtòng. Tā hěn máodùn. Zhídào tā pèngdàole
的伤痛。他很矛盾。直到他碰到了
《Chéngshì Jiù Shì Jiànshēnfáng》 zhè běn shū, tā cái kāishǐ
《城市就是健身房》这本书，他才开始
fàngqì jiànshēnfáng zhōng bīnglěng de qìxiè, tóurù dào "zìrán
放弃健身房中冰冷的器械，投入到"自然

yùndòng fǎzé ” zhōng. Hái jìde wǒmen érshí zuì zǎo jiēchù
运动法则”中。还记得我们儿时最早接触

de yùndòng ma? Jiùshì zài yuànzi lǐ pānpá pǎotiào dǎnào,
的运动吗？就是在院子里攀爬跑跳打闹，

zhè zhǒng shìfàng tiānxìng ,
这种释放天性 (unleash one’s natural instinct)、

fǎnpú-guīzhēn de huódòng cái shì bǔrǔ dòngwù
返璞归真 (back to nature) 的活动才是哺乳动物

de běnxìng . Dàn pǎokù zé bǎ zhè zhǒng
(mammal) 的本性 (origin)。但跑酷则把这种

“fēng pǎo” cóng yuànzi li zhuǎnyí dào chéngshì de gāolóu-dàshà
“疯跑”从院子里转移到城市的高楼大厦

zhījiān ,
之间 (concrete jungle, referring to the city buildings)，

dòngzuò gèng zhuānyèhuà, gèng yǒu měigǎn. tūchū de
动作更专业化，更有美感。跑酷突出的

shìrén zài chéngshì chuānsuō de xíngdòng gōngnéng, yǐ pānpá
是人在城市穿梭的行动功能，以攀爬

tiàoyuè wéi jīchǔ dòngzuò, shì tiǎozhàn rénmen de yǒngqì,
跳跃为基础动作，是挑战人们的勇气、

rènxìng , lìliàng de jíxiàn yùndòng.
韧性 (tenacity)、力量的极限运动。

Yìbān de pǎokù àihàozhě xǐhuan tiǎozhàn gōngyuán, fèiqì
一般的跑酷爱好者喜欢挑战公园、废弃

chǎngfáng, chéngshì dāngzhōng jiànzhùwù mìjí de jiēdào,
厂房、城市当中建筑物密集的街道、

zhuānyè pǎokù chǎngdì děngděng, ér Chén Rán zuìjìn bǎ
专业跑酷场地等等，而陈然最近把

zìjǐ de pǎokù chǎngdì xuǎnzài le děngdài chāichú de hútòng
自己的跑酷场地选在了等待拆除的胡同

li . Zài Xuānwǔmén shāngchǎng dōngcè yǒu yí dàpiàn
里。在宣武门 SOGO 商场东侧有一大片

zhèyàng de hútòng, dà bùfen jūmín yǐjīng bānqiān, zhǐyǒu
这样的胡同，大部分居民已经搬迁，只有

shǎoshù jǐ hù hái liú zài zhèli . Chén Rán jiù zài
少数几户还留在这里。陈然就在

yí gègè sìhéyuàn de yuànqiáng, fángdǐng yǐjí zhōubiān
一个个四合院的院墙、房顶，以及周边

xiǎoxiàng shǎnzhuǎn téngnuó ,
小巷闪转腾挪 (be agile in one’s movements)，

pānpá tiàoyuè , wánchéng yí gègè yōuměi
攀爬跳跃 (climb and jump)，完成一个个优美

de xiàng wǔshù yìbān de dòngzuò . Zuìchū, hútòng li de yí
的像武术一般的动作。最初，胡同里的一

wèi dàmā bǎ tā dāngchéngle “liángshang-jūnzǐ ”, suí shǒu
位大妈把他当成了“梁上君子 (thief)”，随手

jiāng yí gè sàobǎtóu rēngxiàng Chén Rán, xià de tā chà diǎnr
将一个扫把头扔向陈然，吓得他差点儿

cóng qiáng shang shuāi xiàlai . Jīngguò jiěshì
从墙上摔 (fall down) 下来。经过解释

zhīhòu, Chén Rán cái dédào dàmā de xìnrèn . Xiànzài, dàmā
之后，陈然才得到大妈的信任。现在，大妈

chéngle Chén Rán de tiěgǎnr fěnsī . Dàmā háishi Chén Rán de
成了陈然的铁杆儿粉丝。大妈还是陈然的

ānquán guāncháyuán, yīnwèi hútòng li de hěnduō fángwū dōu
安全观察员，因为胡同里的很多房屋都

lǎohuà le, kěnéng cúnzài
老化了，可能存在
wēixiǎn, dàmā búyànqífán
危险，大妈不厌其烦
de bǎ zhèxiē gāowēi
地把这些高危(high-
fángwū zhǐ gěi Chén Rán,
risk)房屋指给陈然，
ràng tā dāngxīn.
让他当心。

Chén Rán dǎsuàn bǎ tā de
陈然打算把他的
hútòng pǎokù shìpín fàngdào Yōukùwǎng
胡同跑酷视频放到优酷网(Youku, a Chinese
shang qù,
video hosting service website based in China)上去，
ràng gèng duō rén fēnxiǎng. Tā xīwàng néng bǎ Xīfāng xiàndài
让更多人分享。他希望能把西方现代
jíxiàn yùndòng yǔ Zhōngguó jiànzhù wénhuà xiāng jiéhé. Tā
极限运动与中国建筑文化相结合。他
bùjǐn yào zài gǔlǎo de hútong pǎo, yǐhòu hái xiǎng qù
不仅要在古老的胡同跑，以后还想去
Chángchéng, Gù Gōng, Yíhé Yuán pǎo. Tā xīwàng yǒu
长城、故宫、颐和园跑。他希望有
yuèláiyuè duō de rén liǎojiě hé cānyù zhè zhǒng zūnxún
越来越多的人了解和参与这种遵循(abide
zìrán fǎzé yǔ rénlèi tiānxìng de yùndòng.
by)自然法则与人类天性的运动。

Huà Jiànshēn
# 话健身

Xiànzài de Zhōngguórén yuèláiyuè zhòngshì jiànkāng. Zài
现在的 中国人 越来越 重视 健康。在

yìxiē dà chéngshì li, shēnghuó jiézòu kuài, gōngzuò yālì
一些 大 城市 里，生活 节奏快，工作 压力

dà, shàngbānzú de shēntǐ hé jīngshén dōu xūyào diàozhěng hé
大，上班族 的 身体 和 精神 都 需要 调整 和

fàngsōng. Wèile huǎnjiě yālì, shìfàng
放松。为了 缓解 (to alleviate) 压力，释放 (to

bùliáng qíngxù, yuèláiyuè duō de niánqīngrén
release) 不良 (bad) 情绪，越来越 多 的 年轻人
xuǎnzé zǒujìn jiànshēnfáng, jiēshòu zhèngguī de
选择 走进 健身房，接受 正规 (standard) 的
jiànshēn xùnliàn.
健身 训练。

“Dàgèr” zài Shànghǎi yì jiā guǎnggào gōngsī gōngzuò.
“大个儿”在 上海 一 家 广告 公司 工作。
Dāngrán “dàgèr” bú shì tā de zhēnmíng, érshì dàjiā
当然“大个儿”不是他的 真名，而是大家
gěi tā qǔ de chuòhào. “Dàgèr” měi tiān yào gēn gè zhǒng
给他取的绰号。“大个儿”每 天 要 跟 各 种
chǎnpǐn hé wénzì dǎjiāodào, zài diànnǎo qián yì zuò jiù shì
产品 和 文字 打交道，在 电脑 前 一 坐 就 是
yì tiān. “Dàgèr” jiāng jìn yì mǐ jiǔ de shēngāo bú dào
一 天。“大个儿” 将近 一 米 九 的 身高 不 到
jīn, shì gè “shòuzhúgānr”. Tā de nǚpéngyou kāi
140 斤，是 个“瘦竹竿儿”。他 的 女朋友 开
wánxiào shuō, fēng dà diǎnr dehuà, tā dōu néng bèi guāzǒu.
玩笑 说，风 大 点儿 的话，他 都 能 被 刮走。
“Dàgèr” de shēntǐ máobing hěnduō, pínxuè,
“大个儿”的身体 毛病 很多，贫血 (anaemia)、
wèiyán yǐjīng bànsuí tā duō nián, dōngtiān hái
胃炎 (gastritis) 已经 伴随 他 多 年，冬天 还
jīngcháng gǎnmào. Jìnlái, “dàgèr” yǒu jiéhūn shēng
经常 感冒。近来，“大个儿” 有 结婚 生
háizi de dǎsuàn. Wèile bù yǐngxiǎng xià yídài, “dàgèr”
孩子 的 打算。为了 不 影响 下一代，“大个儿”

xiàjuéxīn qù jiànshēnfáng jiànshēn.
下决心去健身房健身。
Jiàoliàn gēnjù tā de qíngkuàng,
教练根据他的情况，
gěi tā ānpáile yí xìliè zēng
给他安排了一系列增
zhòng liàn jī de jiànshēn
重练肌的健身
xiàngmù. "Dàgèr" shuō,
项目。“大个儿”说，
jiànshēn bìng bú shì jìnle
健身并不是进了
jiànshēnfáng jiù zài pǎobùjī
健身房就在跑步机
shang shǎ pǎo yíqì, érshì bāokuò
上傻跑一气(run without stopping)，而是包括
yùndòng yǐnshí huīfù zài nèi de xìtǒng gōngchéng. Búdào
运动、饮食、恢复在内的系统工程。不到
yì nián de shíjiān, "dàgèr" de tǐzhòng zēngjiā dào
一年的时间，“大个儿”的体重增加到160
jīn, "shòu zhúgānr" biàn "xíngnán", pínxuè hé wèiyán dōu
斤，“瘦竹竿儿”变“型男”，贫血和胃炎都
huǎnjiě le bùshǎo. Jiànshēn gěi "Dàgèr" dàilái
缓解(to allay)了不少。健身给“大个儿”带来
de wéiyī huàichù, jiù shì nǚpéngyou guǎn tā guǎn de gèng
的唯一坏处，就是女朋友管他管得更
yán le, shēngpà tā bèi biéde nǚshēng qiǎngzǒu.
严了，生怕他被别的女生抢走。

Lǐ Yán yǐjīng jiānchí jiànshēn liǎng nián bàn le , zhǔyào de
李妍已经坚持健身两年半了，主要的
jiànshēn fāngshì shì yóuyǒng hé pǔlātí . Yóuyǒng
健身方式是游泳和普拉提(Pilates)。游泳
kěyǐ ràng jīròu hé shénjīng chèdǐ fàngsōng xiàlai , pǔlātí
可以让肌肉和神经彻底放松下来，普拉提
zé kěyǐ tígāo shēntǐ de zōnghé sùzhì . Zài zhè zhīqián , Lǐ
则可以提高身体的综合素质。在这之前，李
Yán shì yí gè lǎnduò érqiě bú dà zìxìn de nǚháir ,
妍是一个懒惰而且不大自信的女孩儿，
péngyou hěn shǎo , yìxìng yuán
朋友很少，异性缘(popularity amongst the
gèng gēn tā bù
opposite sex)更跟她不
zhānbiānr .
沾边儿(be irrelevant)。
Jiārén gěi tā jièshàole jǐ gè
家人给她介绍了几个
duìxiàng , duìfāng zǒng shì yǐ
对象，对方总是以
dì-yī yìnxiàng méi gǎnjué wèiyóu
第一印象没感觉为由
jùjué jìxù jiāowǎng . Lǐ Yán
拒绝继续交往。李妍
zhè cái yìshi dào , zìjǐ de
这才意识到，自己的
lǎnsǎn dàilái de hòuguǒ shì
懒散带来的后果是

zāinàn xìng de . Yúshì tā kāishǐ jiànshēn . Rújīn
灾难性 (disastrous) 的。于是她开始健身。如今

de Lǐ Yán yǐjīng shì yí gè yángguāng , zìxìn , jījí
的李妍已经是一个阳光、自信、积极

xiàngshàng de lèguān nǚháir le , gōngzuò yě cóng yuánlái de
向上的乐观女孩儿了，工作也从原来的

zhíwèi tíshēng dào le guǎnlǐcéng , ǒu'ěr hái kèchuàn yíxià
职位提升到了管理层，偶尔还客串一下

tóngshì huò tóngxué de sīrén jiàoliàn , péngyou yě yuèláiyuè
同事或同学的私人教练，朋友也越来越

duō . Tā zǒng shuō jiànshēn gǎibiànle tā de rénshēng .
多。她总说健身改变了她的人生。

Zài xúnzhǎo lìng yí bàn de shíhou , dà bùfen nánrén dōu
在寻找另一半的时候，大部分男人都

tèbié kànzhòng nǚrén de shēncái ,
特别看中女人的身材，

suǒyǐ dàidòng qǐ le nǚrén
所以带动起了女人

jiǎnféi jiànshēn de rècháo . Ér
减肥健身的热潮。而

jìnxiē nián lái , nǚrén duì nánrén
近些年来，女人对男人

shēncái de yāoqiú yě yuèláiyuè
身材的要求也越来越

gāo , shénme rényúxiàn
高，什么人鱼线 (v-cut

, liù kuài
abdominal muscles)、六块

fùjī dōu shì tāmen zhùzhòng de shēncái tiáojiàn. Suǒyǐ
腹肌都是她们注重的身材条件。所以
jiànshēnfáng li de lìliàng xùnliàn yě chéngle xíngnánmen de
健身房里的力量训练也成了型男们的
bìxiūkè, yuèláiyuè duō de huāyàngnán,
必修课，越来越多的花样男(good-looking man)、
sīwénnán, wénqīng,
斯文男(scholarly man)、文青(literary youth)、
mǎnóng dōu nǔlì cháo jīròu bàngzi de
码农都努力朝肌肉棒子(brawny man)的
fāngxiàng jiānnán báshè zhe.
方向艰难跋涉(go ahead with great difficulty)着。

Yuèláiyuè duō de jiànshēnfáng kāi zài bàngōngshì huò gōngyù
越来越多的健身房开在办公室或公寓
fùjìn, yǐ mǎnzú xiàndàirén duì jiànkāng de xūyào. Dànshì
附近，以满足现代人对健康的需要。但是
xuǎnzé jiànshēnfáng de shíhou, búyào mángmù de bàn
选择健身房的时候，不要盲目(blindly)地办
jiànshēn kǎ, yídìng yào liǎojiě qīngchu, duō kǎochá jǐ cì,
健身卡，一定要了解清楚，多考察几次，
kànkan nàli de kèchéng shì bu shì shìhé zìjǐ, jiàoliàn
看看那里的课程是不是适合自己，教练
shìbushì fù zérèn děngděng. Rúguǒ nǐ méiyǒu nàme duō
是不是负责任等等。如果你没有那么多
shíjiān zuò kǎochá gōngzuò, nà dàxíng liánsuǒ jiànshēnfáng zuì
时间做考察工作，那大型连锁健身房最
shìhé nǐ le.
适合你了。

Kuàilè De Chénliàn Lǎorén

# 快乐的晨练老人

Zài Zhōngguó de dàbùfen chéngzhèn li, gōngyuán bùjǐn
在中国的大部分城镇里，公园不仅

shì yóurén guānguāng yóulǎn de jǐngdiǎn, yě shì fùjìn jūmín
是游人观光游览的景点，也是附近居民

xiūxián yùndòng de chǎngsuǒ. Lǎorénmen zài zhèli sànbù,
休闲运动的场所。老人们在这里散步、

tiàowǔ, dǎ tàijíquán, háizimen zài zhèli wánshuǎ.
跳舞、打太极拳，孩子们在这里玩耍。

Niú dàmā zhù zài Tiāntán fùjìn, měi tiān qīngchén, tā
牛大妈住在天坛附近，每天清晨，她
dōu dào zhèli lái liùzǎor
都到这里来遛早儿 (go for a stroll in the morning)。
Niú dàmā shuō, zhǐyào yí dào Tiāntán, tīngjiàn piàoyǒumen diào
牛大妈说，只要一到天坛，听见票友们吊
sǎng, kàn wǔjiàn de rénqún, gēn zhe
嗓 (exercise one's voice)，看舞剑的人群，跟着
lǎohuǒjimen tiào qǐ wǔ lái, jiù juéde zhè yì tiān
老伙计们 (old friends) 跳起舞来，就觉得这一天
tèbié měihǎo. Niú dàmā zài Tiāntán Gōngyuán tiàowǔ shí duō
特别美好。牛大妈在天坛公园跳舞十多
nián le, cóng zuì zǎo de lǎonián jiànshēncāo, shànzi wǔ, dào
年了，从最早的老年健身操、扇子舞，到
hòulái de tàngē, lúnbā, tiàoguo shíjǐ gè
后来的探戈 (tango)、伦巴 (rumba)，跳过十几个
wǔ zhǒng, hái déguo Běijīng Shì Lǎonián Wǔdǎo Dàsài de
舞种，还得过北京市老年舞蹈大赛的
jīnjiǎng, wánquán kěyǐ shuō shì gōngyuán li de wǔdǎojiā
金奖，完全可以说是公园里的舞蹈家
le. Tāmen de wǔdǎoduì cóng yuánlái de shíjǐ gè rén kuòdà
了。他们的舞蹈队从原来的十几个人扩大
dào yìbǎi duō rén, shì Běijīng Xīchéng Qū zuì dà de mínjiān
到一百多人，是北京西城区最大的民间
wǔdǎo tuántǐ zhī yī. Xiànzài Niú dàmā shì Tiāntán Lǎonián
舞蹈团体之一。现在牛大妈是天坛老年
Wǔdǎoduì de duìzhǎng jiān jiàoliàn, dàjiā dōu jiào tā Niú
舞蹈队的队长兼教练，大家都叫她牛

lǎoshī .
老师。

Niú dàmā tuìxiū yǐqián shì dàxué lǎoshī . Lǎobànr
牛大妈退休以前是大学老师。老伴儿

qùshì de zǎo, gāng tuìxiū de shíhou, Niú dàmā tèbié bú
去世得早，刚退休的时候，牛大妈特别不

shìyìng, zài jiā li kàn shénme dōu bú shùnyǎn, chángcháng fā
适应，在家里看什么都不顺眼，常常发

píqi . Zài jiāshàng érzi érxí gōngzuò dōu máng, sūnzi
脾气。再加上儿子儿媳工作都忙，孙子

yě shàng le xué, méi rén péi tā liáotiān, Niú dàmā chà diǎnr
也上了学，没人陪她聊天，牛大妈差点儿

méi dé yìyùzhèng . Zài línjū de yāoqǐng xià,
没得抑郁症(depression)。在邻居的邀请下，

Niú dàmā láidào Tiāntán Gōngyuán xuéxí tiàowǔ. Kāishǐ de
牛大妈来到天坛公园学习跳舞。开始的

shíhou, dāngzhe nàme duō mòshēngrén de miànr, Niú dàmā
时候，当着那么多陌生人的面儿，牛大妈

juéde tèbié bùhǎoyìsi, biē de liǎn tōnghóng,
觉得特别不好意思，憋 (to stifle) 得脸通红，

zuìhòu cái gǔqǐ yǒngqì zhànjìn le jítǐwǔ de duìwu li.
最后才鼓起勇气站进了集体舞的队伍里。

Méiyǒu rén cháoxiào Niú dàmā biéjiǎo de dòngzuò,
没有人嘲笑牛大妈蹩脚 (awkward) 的动作，

yě méi rén duì tā shēngyìng de biǎoqíng zhǐzhǐdiǎndiǎn. Zài
也没人对她生硬的表情指指点点。在

dàjiā de gǔlì hé bāngzhù zhīxià, Niú dàmā de wǔ tiào de
大家的鼓励和帮助之下，牛大妈的舞跳得

yuèláiyuè hǎo, biǎoqíng yě yuèláiyuè shēngdòng. Yīnwèi tiàowǔ
越来越好，表情也越来越生动。因为跳舞

Niú dàmā biànchéngle yí gè zìxìn xiàngshàng de lǎoren. Niú
牛大妈变成了一个自信向上的老人。牛

dàmā shuō, tāmen de wǔdǎoduì jiù xiàng yí gè dà jiātíng,
大妈说，他们的舞蹈队就像一个大家庭，

bùguāng shì měi tiān qīngchén、bàngwǎn zài yìqǐ liàn wǔ,
不光是每天清晨、傍晚在一起练舞，

zhōumò dàjiā hái zǔzhī jiāoyóu, jùcān, chàng kǎlā,
周末大家还组织郊游、聚餐、唱卡拉OK、

xué Yīngyǔ. Shuí jiā yǒu kùnnan le, shuí jiā de háizi yào zhǎo
学英语。谁家有困难了，谁家的孩子要找

duìxiàng le, shuí shēngbìng le, wǔdǎoduì de huǒbànmen dōu
对象了，谁生病了，舞蹈队的伙伴们都

huì hùxiāng bāngmáng. Niú dàmā juéde tiàowǔ bùguāng ràng tā
会互相帮忙。牛大妈觉得跳舞不光让她

duànliànle shēntǐ, hái bāng tā jiànle yígè "péngyouquān".
锻炼了身体，还帮她建了一个"朋友圈"。

Tiàowǔ, shǐ tā de wǎnnián shēnghuó biàn de fēngfù, kuàilè,
跳舞，使她的晚年生活变得丰富、快乐，

yǒu chéngjiùgǎn.
有成就感。

Niú dàmā xué tiàowǔ de chūzhōng
牛大妈学跳舞的初衷 (original intention)

qíshí hěn jiǎndān, jiùshì yào duànliàn duànliàn shēntǐ, dǎfa
其实很简单，就是要锻炼锻炼身体，打发

dǎfa shíjiān, zìyú-zìlè, bù gěi érnǚmen tiān máfan.
打发时间，自娱自乐，不给儿女们添麻烦。

Kěshì xiànzài Niú dàmā biànchéng le yí gè wǔdǎoduì de
可是现在牛大妈变成了一个舞蹈队的

fùzérén, ānpái dàdàxiǎoxiǎo de yǎnchū, shuàiduì cānjiā
负责人，安排大大小小的演出，率队参加

wǔdǎo bǐsài, zǔzhī gèzhǒnggèyàng de huódong, wèiwèn
舞蹈比赛，组织各种各样的活动，慰问

tiàowǔduì li de lǎopéngyou, zhěngtiān mángde tuántuánzhuàn,
跳舞队里的老朋友，整天忙得团团转，

jiù lián sūnzi xiǎngjiàn tā yí miàn dōu yào tíqián yùyuē.
就连孙子想见她一面都要提前预约。

Yǐqián wǒmen zǒng shuō, chéngshì li de shuǐní sēnlín shǐ
以前我们总说，城市里的水泥森林使

rénmen fēngbì qǐlai: Niánqīngrén zài wài dǎpīn, xīnkǔ
人们封闭起来：年轻人在外打拼，辛苦

láolèi, huídào jiā li méiyǒu duōshao shíjiān gēn fùmǔ jiāoliú;
劳累，回到家里没有多少时间跟父母交流；

lǎorénmen kōng shǒu zài jiā, xǐ yī zuòfàn, kàn diànshì,
老人们空守在家，洗衣做饭，看电视，

gūdān jìmò. Kěshì xiànzài, yuèláiyuè duō de lǎoniánrén
孤单寂寞。可是现在，越来越多的老年人

zìfā zǔzhī qǐlai jiànshēn, yúlè, xiǎngshòu kuàilè de
自发组织起来健身、娱乐，享受快乐的

wǎnnián shēnghuó.
晚年生活。

Mànmān Xiāoshī De Chuántǒng Yóuxì

## 慢慢消失的传统游戏

Lǐ Xiǎofēng měi cì kàndào érzi pěngzhe "nǔlì"
李晓峰 每次 看到 儿子 捧着 iPad “努力”
de wánrzhe yóuxì de shíhou, méimao jiù nǐng-
地 玩儿着 游戏 的 时候，眉毛 就 拧 (to twist)
chéng yì tuán. Tā bìng bù fǎnduì háizi wánr, dànshì bù
成 一 团。他 并 不 反对 孩子 玩儿，但是 不
xīwàng háizi zhái zài jiā li wán diànnǎo yóuxì.
希望 孩子 宅 (stay at home) 在 家里 玩 电脑 游戏。

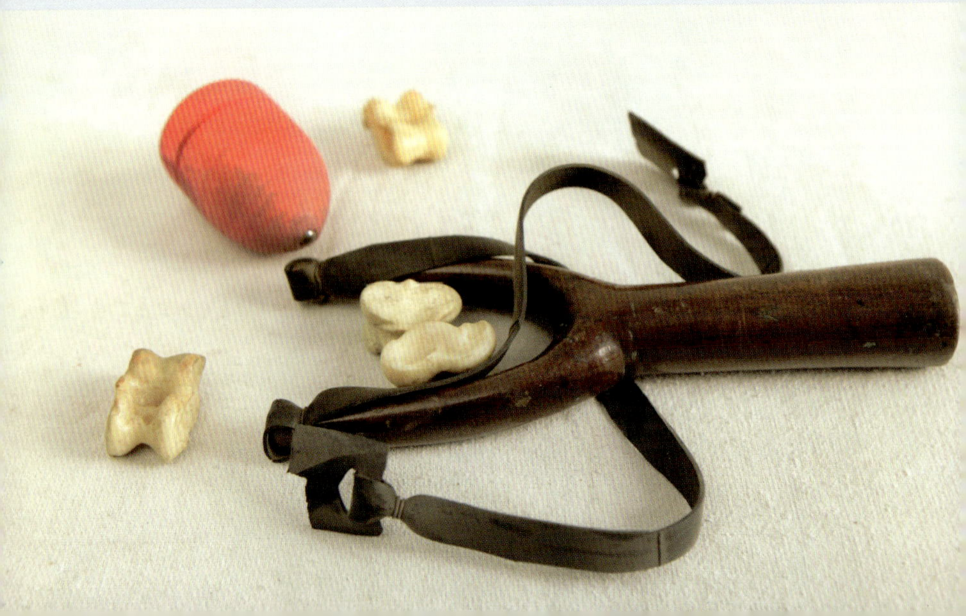

Kěshì rújīn , diànzǐ xìnxī shídài ràng " hòu
可是如今，电子信息时代让“00后(children

" chéngwéi hùliánwǎng de " yuánzhù-
born after the year 2000)”成为互联网的“原住

mín
民(original inhabitant, referring to the frequent users of

", " píngmù yīlài zhèng " huànzhě de niánlíng
the Internet)”，“屏幕依赖症”患者的年龄

yě yuèláiyuè dī . Háizimen zhǐ zhīdào yǒu , diànnǎo ,
也越来越低。孩子们只知道有ipad、电脑、

yóuxìjī , què bù zhīdào nàxiē chuánchéngle jǐshí nián shù
游戏机，却不知道那些传承了几十年数

bǎi nián de chuántǒng yóuxì . Yuèláiyuè duō de rén dānxīn
百年的传统游戏。越来越多的人担心

chuántǒng yóuxì huì mànmān xiāoshī .
传统游戏会慢慢消失。

Huíxiǎng qǐ tiào píjīn , chōu
回想起跳皮筋(rubber-band skipping)、抽

tuóluó zhuōmícáng , gǔn
陀螺(top-whipping)、捉迷藏(hide-and-seek)、滚

tiěhuán děng zhèxiē chuántǒng yóuxì , céngjīng
铁环(hoop-and-stick)等这些传统游戏，曾经

gěi yídài yòu yídài rén dàilái xǔduō nánwàng de tóngnián jìyì
给一代又一代人带来许多难忘的童年记忆。

Rán'ér , duìyú " hòu " de xiǎopéngyou láishuō , tāmen de
然而，对于“00后”的小朋友来说，他们的

tóngnián lèqù què zhǐnéng zài " diànzǐ yóuxì " zhōng xúnzhǎo .
童年乐趣却只能在“电子游戏”中寻找。

Yǎnxià, shēnghuó zhōng suíchùkějiàn de zhìnéng shǒujī píngbǎn
眼下，生活中随处可见的智能手机、平板
diànnǎo, ràng běn gāi zài hùwài bēnpǎo tiàoyuè zhe jiànkāng
电脑，让本该在户外奔跑、跳跃着健康
chéngzhǎng de háizi yǎngchéngle "bù yídòng" de shēnghuó
成长的孩子养成了"不移动"的生活
fāngshì, tāmen de kèyú shēnghuó jīběn zài diànshì,
方式，他们的课余生活基本在电视、
diànnǎo, shǒujī děng bùtóng píngmù jiān qiēhuàn.
电脑、手机等不同屏幕间切换。

Lǐ Xiǎofēng de érzi jīn nián suì bàn, xiǎojiāhuo cóng
李晓峰的儿子今年8岁半，小家伙从5
suì duō shí jiù kāishǐ jiēchù diànnǎo le. "Yǐqián wǒ wánr
岁多时就开始接触电脑了。"以前我玩儿
diànnǎo shí, tā jiù huì zuò wǒ xīgài shang biān kàn biān
电脑时，他就会坐我膝盖上边看边
wánr děngdào shàng yòuéryuán shí, tā yǐjīng huì zìjǐ
玩儿；等到上幼儿园时，他已经会自己
kāijī zhǎodào yóuxì yèmiàn wán yóuxì le." Shuō qǐ zìjǐ
开机找到游戏页面玩游戏了。"说起自己
de érzi, Lǐ Xiǎofēng yòng "xiǎo diànnǎo tōng" xíngróng
的儿子，李晓峰用"小电脑通"形容，
pōyǒu xiē jiāo'ào.
颇有些骄傲。

Érzi shàng xiǎoxué yī niánjí zhīhòu, Lǐ Xiǎofēng fāxiàn
儿子上小学一年级之后，李晓峰发现，
háizi de xīnsi gēnběn bú zài dúshū shang, yě bú ài
孩子的心思根本不在读书上，也不爱

chūqu wánr, yì yǒu shíjiān jiù názhe diànnǎo huò
出去玩儿，一有时间就拿着电脑或 iPad

wánr tā cái yìshi dào wèntí yǒuxiē yánzhòng, yúshì kāishǐ
玩儿，他才意识到问题有些严重，于是开始

yángé kòngzhì háizi de shàngwǎng shíjiān, měi tiān zhǐ ràng tā
严格控制孩子的上网时间，每天只让他

wánr yí gè xiǎoshí."
玩儿一个小时。”

Lǐ Xiǎofēng juéde zhèyàng yě bú shì bànfǎ, wǎngluò
李晓峰觉得这样也不是办法，网络

chéngyǐn róngyì dǎozhì háizi chūxiàn gōutōng
成瘾 (be addicted) 容易导致孩子出现沟通

zhàng'ài . Háizi bú huì "wánr"
(communication) 障碍 (barrier)。孩子不会“玩儿”

yě bú ài "wánr" zěnme bàn
也不爱“玩儿”怎么办？

Hòulái Lǐ Xiǎo fēng gāncuì zìjǐ zuò
后来李晓峰干脆自己做

wánjù péi háizi yì qǐ wánr, dàngōng
玩具陪孩子一起玩儿，弹弓

tiěhuán
(catapult)、铁环 (ironhoop)、

tuóluó kōngzhú
陀螺 (top)、空竹 (diabolo)、

shābāo děngděng, bìngqiě
沙包 (sandbag) 等等，并且

gǔlì tā yāoqǐng xiǎopéngyǒu tóngxué
鼓励他邀请小朋友同学

lái jiāli yìqǐ wánr . Yì kāishǐ zhǐ yǒu tā dàizhe jǐ gè
来 家里 一起 玩儿。一 开始 只 有他带着 几 个

háizi zài xiǎoqū li wánr , hòulái tāmen yòu xīyǐnle qítā
孩子 在 小区 里 玩儿，后来他们 又 吸引了 其他

bàba dàizhe háizi lái yìzhǎnshēnshǒu .
爸爸 带着 孩子 来 一展身手 (display one's skill)。

Jiù zhèyàng yī chuán shí shí chuán bǎi , lái zhèr wánr
就 这样 一 传 十 十 传 百，来 这儿 玩儿

chuántǒng yóuxì de háizi yuèláiyuè duō . Lǐ Xiǎofēng juéde
传统 游戏 的 孩子 越来越 多。李 晓峰 觉得

háizimen yìqǐ wánr chuántǒng yóuxì , jì kěyǐ duànliàn
孩子们 一起 玩儿 传统 游戏，既 可以 锻炼

shēntǐ , yòu kěyǐ kāifā zhìlì , tígāo qíngshāng
身体，又 可以 开发 智力，提高 情商 (emotional

, zēngjìn yǒuyì , yúlè shēnxīn , bǐ wán diànzǐ
quotient)，增进 友谊，娱乐 身心，比 玩 电子

yóuxì jiànkāng duō le .
游戏 健康 多 了。

Wèile shǐ chuántǒng yóuxì nénggòu chuánchéng xiàlai , Lǐ
为了 使 传统 游戏 能够 传承 下来，李

Xiǎofēng chūzī kāishèle Běijīng dì-yī jiā chuántǒng yóuxì tǐyàn
晓峰 出资 开设了 北京 第一 家 传统 游戏 体验

zhōngxīn , tígōng zhuānmén wánr chuántǒng yóuxì de chǎngdì
中心，提供 专门 玩儿 传统 游戏 的 场地

jí wánjù . Tiào píjīn , diū shābāo , chōu tuóluó děng duō dá
及 玩具。跳 皮筋、丢 沙包、抽 陀螺 等 多 达

shíjǐ zhǒng de chuántǒng yóuxì xīyǐnle shùyǐwànjì de
十几 种 的 传统 游戏 吸引了 数以万计 的

jiāzhǎng dài háizi lái gǎnshòu yǔ
家长 带 孩子 来 感受 与
diànnǎo yóuxì bùtóng de lèqù .
电脑 游戏 不同 的 乐趣。
Yǒu yuèláiyuè duō de wǎngyǒu
有 越来越 多 的 网友
zhīchí Lǐ Xiǎofēng de zuòfǎ ,
支持 李 晓峰 的 做法，
bìngqiě chéngwéile tǐyàn zhōngxīn
并且 成为了 体验 中心
de huìyuán . Tāmen dāngzhōng ,
的 会员。他们 当中，
yǒude shì wèile shíqǔ měihǎo
有的 是为了 拾取 美好
tóngnián jìyì de hòu , tōngguò yóuxì yúlè zìjǐ ; yǒude
童年 记忆的80后，通过 游戏娱乐自己；有的
shì háizi de jiāzhǎng , xīwàng zhèxiē chuántǒng yóuxì nénggòu
是 孩子 的 家长，希望 这些 传统 游戏 能够
zài péibàn jǐ dài háizi de chéngzhǎng , bié ràng háizi
再 陪伴 几 代 孩子 的 成长，别 让 孩子
huíxiǎng tóngnián shí yí piàn kòngbái .
回想 童年 时 一 片 空白。

Yìxiē jiàoyùxuéjiā yě zhīchí chuántǒng yóuxì huíguī ,
一些 教育学家 也 支持 传统 游戏 回归，
tāmen rènwéi chuántǒng yóuxì jì néng dòng shǒu yòu néng dòng
他们 认为 传统 游戏 既 能 动 手 又 能 动
nǎo , hái duànliànle shēntǐ , hé lè ér bù wéi . Yuèláiyuè duō
脑，还 锻炼了 身体，何 乐 而 不 为。越来越 多

de jiāzhǎng kàndào diànzǐ yóuxì gěi háizi dàilái de fùmiàn
的 家长 看到 电子游戏给孩子带来的负面

yǐngxiǎng , xīwàng háizi de tóngnián yǒu gèng fēngfù duōcǎi ,
影响，希望孩子的童年有更丰富多彩、

jiànkāng xiàngshàng de yúlè huódòng , yě xīwàng gěi tāmen de
健康向上的娱乐活动，也希望给他们的

tóngnián dàilái wúshù huānxiào de chuántǒng yóuxì jìxù gěi
童年带来无数欢笑的传统游戏继续给

xiàyídài liúxià měihǎo jìyì .
下一代留下美好记忆。

**策　　划：**黄友义　王君校　韩　晖　付　眉
**责任编辑：**杨　晗
**英文编辑：**范逊敏　薛彧威
**封面设计：**何思倩

**图书在版编目（CIP）数据**

健身总动员：汉英对照 / 张超编著. -- 北京 ：华语教学出版社，2018.10
（当代中国微记录）
ISBN 978-7-5138-1632-8

Ⅰ. ①健… Ⅱ. ①张… Ⅲ. ①汉语－对外汉语教学－语言读物 Ⅳ. ①H195.5

中国版本图书馆CIP数据核字(2018)第214475号

**健身总动员**

张　超　陈　婉　孙　婕　编著
*

华语教学出版社有限责任公司出版
（中国北京百万庄大街24号　邮政编码100037）
电话：(86)10-68320585　68997826
传真：(86)10-68997826　68326333
网址：www.sinolingua.com.cn
电子信箱：hyjx@sinolingua.com.cn
北京玺诚印务有限公司印刷
2019年（32开）第1版
2019年第1版第1次印刷
ISBN 978-7-5138-1632-8
定价：29.00元